CW00406126

À toute épreuve

Ibrahima Diallo

À toute épreuve

Roman

LE LYS BLEU
ÉDITIONS

ISBN : 979-10-377-4891-1

Hommage à feu Mamoudou Barry,
Jeune enseignant-chercheur guinéen,
tué à Rouen en 2019

Voyager, c'est partir pour revenir.

Préface
La vie est une aventure !

Du pied du mont Sincery dans la préfecture de Dabola jusqu'au sommet de la tour Eiffel, j'en ai fait du chemin. Issu d'une famille très modeste, fils d'une remarquable femme, la vie ne m'a fait jusque-là aucun cadeau. Mes premiers pas à Dabola m'ont permis de me frayer un chemin dans un environnement familial où chaque jour, je devais faire me fondre dans la masse au milieu d'une pauvreté qui faisait grincer des dents.

Enfant, j'étais déjà adulte !

Dès mon plus jeune âge, j'ai pris conscience de l'énorme sacrifice que ma mère faisait chaquejour pour qu'on ne manque de rien avec mes frères et sœurs. Sa profession de pâtissière nous a permis de toujours être à l'abri du besoin. La voir chaque jour se réveiller de bonne heure pour aller faire cuire ses gourmandises au four m'a fait réaliser très tôt que je ne devais pas la laisser seule supporter cette charge. Je l'accompagnais tous les jours, muni d'un plateau sur la tête au petit marché de la ville pour écouler sa marchandise. À la naissance de mon petit frère,je n'ai pas hésité une seconde à l'épauler en acceptant de faire du babysitting à la maison pourqu'elle puisse continuer son petit commerce et nous apporter à manger. Face à cette situation, elle ne pouvait compter sur sa famille.

Mon enfance n'a pas été des plus paisibles. Privé d'un amour paternel, cette frustration au lieu d'être un handicap m'a plutôt servi de carburant pour sortir des sentiers battus. J'ai réalisé très tôt que la vie ne me ferait aucun cadeau. J'avais le choix entre accepter mon sort ou me fixer un objectif de vie ambitieux. Je dirais toujours que parmi tous les cadeaux reçus par ma mère, m'inscrire à l'école a été l'un des meilleurs et le plus inestimable après celui de m'avoir fait don de la vie. À l'école, j'ai appris à lire et à écrire ! À l'école, j'ai surtout ouvert mes yeux sur le monde. Sans avoir reçu aucun accompagnement dans ma scolarité, j'ai affronté chaque année avec enthousiasme et toujours avec la ferme volonté de me surpasser en donnant le meilleur de moi-même. Toute ma vie, je me suis battu pour trouver ma place que ce soit dans la cellule familiale ou en société. J'ai souvent mis mon égo de côté dans la poursuite de mes objectifs. Quitter ma ville de naissance et rejoindre la capitale pour poursuivre mes études a été l'une des meilleures décisions de ma vie.

Je savais que ça n'allait pas être facile et comme toujours, je devais travailler dur pour me faire accepter. Mes tribulations à Conakry n'étaient qu'une autre étape dans la poursuite de mon destin.

Je me rappellerai toujours ce que m'a dit mon grand-père :

« La vie c'est comme un escalier, chaque marche est nécessaire pour atteindre l'estrade. À vouloir aller trop vite, on risque d'y laisser un pied. Continue à rester humble, respectueux et surtout patient dans tout ce que tu fais *insha'Allah* tu atteindras tous tes objectifs. » Ces mots résonnent encore dans ma tête, car, j'ai toujours respecté et pris soin de mes proches.

Le jour de mon envol pour la France, j'étais très inquiet de ce qu'allait être ma vie sachant que j'étais sur le point d'entamer une aventure, les poches vides. Ayant effectué le déplacement pour m'accompagner à l'aéroport, ma grand-mère me voyant inquiet et manquant de motivation m'a confié ces mots : « Aie foi en Dieu, il guidera ton chemin. Tu as toujours été là pour moi, ma bénédiction te suivra partout où tu iras. »

Certains diront que j'ai eu beaucoup de chance dans mon parcours universitaire en le réussissant haut la main. Cependant, je suis convaincu d'une chose dans ce monde, rien n'arrive par hasard. Et comme on a coutume de dire, le travail et le courage finissent toujours par payer.

La quête du savoir est un processus continu. Je n'ignore pas que le diplôme est juste un moyen parmi tant d'autres pour accéder à ses fins. À travers le partage de cette expérience, je veux juste faire comprendre qu'une vie ne se donne pas, qu'elle se construit à travers un cocktail de courage et de lutte. Shakespeare disait : « Le monde entier est une scène, hommes et femmes, tous n'y sont que des acteurs, chacun fait ses entrées, chacun fait ses sorties, et notre vie durant, nous jouons plusieurs rôles. » Vivez-vous dans le renoncement ou êtes-vous acteur de votre vie ?

Comme vous le découvrirez dans cette aventure autobiographique, j'ai choisi d'être acteur de ma vie, car seule la lutte libère. Dans ce récit, je vous invite de voyager avec moi en découvrant les faits marquants d'un parcours universitaire : À TOUTE ÉPREUVE !

« L'écriture sans âme n'est que lettres », comme le clame le très engagé rappeur Kery James.

Bonne lecture !

Chapitre I
En France, chaque étudiant étranger a une histoire

En France, chaque étudiant étranger a une histoire. La mienne a commencé en septembre 2015. Elle n'aurait jamais dû voir le jour. Pour la petite histoire, tout a débuté grâce à la persévérance d'un ami très proche, qui a pris l'initiative de m'inscrire à Campus France, organisme français qui permet aux étudiants étrangers de poursuivre leurs études supérieures dans ses établissements universitaires. Au début, j'étais très dubitatif en lui rétorquant sans cesse que c'est un rêve qu'on vend au plus offrant et chaque fois, il répliquait en me disant : « Ibro, ça ne coûte rien d'essayer, à chacun de saisir sa chance. »

Petit à petit, j'ai accepté de l'écouter. La première étape fut d'abord de me créer un compte Gmail et ensuite sur la plateforme de campus France en Guinée. Au vu du coût financier que cela nécessite, j'ai failli tout abandonner. Seulement, comme on a coutume de le dire, il n'y'a pas de problème sans solution. Ayant avec moi une console qui m'a été offerte par un oncle, j'ai décidé de la vendre pour faire face aux frais administratifs liés à la confection d'une pièce d'identité et d'un passeport, sans oublier les frais obligatoires d'inscription de 890 000 GNF à Campus France pour valider mon dossier.

Une fois cette étape achevée, il fallait maintenant faire le choix des universités d'accueil et passer un entretien de motivation avec le personnel de campus France qui vérifie à la fois le sérieux du dossier et son adéquation avec les offres de formation. Ayant déjà débuté un cursus universitaire en Droit à l'université Mercure international de Conakry, j'ai décidé malgré deux ans d'études de revenir à la case départ en reprenant ma première année, l'occasion pour moi de me familiariser au mieux avec le système universitaire français.

Il fallait ainsi définir un projet d'études cohérent. J'ai alors expliqué ce dernier en disant que la formation choisie allait me permettre d'approfondir mes compétences liées à la pratique en matière du droit, mais aussi contribuer au terme de mes études supérieures à la formation et à la vulgarisation de la pratique du droit à mes concitoyens, dont la plupart méconnaissent son importance pour l'équilibre de la société.

Outre la procédure, Campus France exige la rédaction d'une lettre de motivation pour chaque établissement choisi. N'ayant aucune expérience dans ce genre d'écrit, j'ai passé plusieurs jours à consulter des modèles sur internet avant de décider d'en écrire une en adéquation avec mon profil.

Ma lettre s'articulait autour de ces propos :

« Madame,

Monsieur,

Je suis actuellement étudiant en deuxième année de faculté des sciences juridiques et politiques. Je souhaite poursuivre mes études dans le domaine juridique au sein de votre université.

En consultant votre site internet, j'ai découvert vos unités d'enseignements, ce qui a renforcé mon choix. Étudier dans votre établissement est pour moi une étape importante dans la poursuite de mon projet professionnel.

Vivement intéressé par l'enseignement que vous dispensez, et qui est en lien direct avec la continuité de mes études actuelles, je souhaite vous soumettre mon dossier de candidature. En effet, la licence de Droit que vous proposez ayant pour objectif de préparer les étudiants au master professionnel spécialisé en Droit international, entre en adéquation totale avec mon projet d'études. Mon choix de l'université française n'est pas fortuit, car la France est un pays qui m'attire particulièrement pour la qualité et la richesse de l'enseignement dispensé et la disponibilité des moyens d'assistance aux étudiants pour préparer leur insertion professionnelle, que ce soit par la documentation ou par des stages pratiques. Ce qui me fascine !

De nature volontaire, dynamique et rigoureux, j'ai pour ambition de devenir juriste spécialisé en droit international et votre formation est une étape importante dans mon projet. De ce fait, je suis très motivé et je souhaite donc acquérir la meilleure formation possible. Discipliné et sérieux, je puis vous assurer de ma volonté de travailler autant qu'il faudra pour atteindre cet objectif. Je me tiens à votre disposition pour vous convaincre de vive voix de mes capacités et de ma motivation.

Dans l'espoir d'effectuer mes études dans votre université, je vous prie de recevoir, madame, monsieur, mes salutations respectueuses. »

À ma grande surprise, je fus accepté par l'université de Reims Champagne-Ardenne. Qui l'aurait cru ? En tout cas pas moi, sachant que du début jusqu'à la réception de cette admission, personne à part mon ami n'a contribué à cette première victoire. Personne n'échappe à son destin ! Mais mon rêve de poursuivre mes études en France était encore très loin.

En effet, l'admission dans une université française ne signifie pas qu'il faut d'ores et déjà faire ses valises, monter dans l'avion et arriver en France. L'étape la plus cruciale est l'obtention d'un visa étudiant à l'ambassade de France. Pour ce faire, il faut se soumettre à diverses conditions telles que l'admission dans une université française, un compte bancaire de 7 380 € ainsi qu'un justificatif de logement et le paiement de 78 € de frais de dossier.

Rien n'était encore joué pour moi ! En effet, j'ai fait part de mon projet à plusieurs proches dans l'optique qu'ils m'aident à trouver cette somme faramineuse à mes yeux. 7 380 € fait à peu près 80 millions de francs guinéens. Je vous laisse deviner la suite. Ce n'était pas gagné bien que je mis tout le monde à contribution. Un proche collaborateur d'un oncle ayant appris ma difficulté à trouver la somme, lui a proposé de faire recours à un tiers lui permettant de mettre à ma disposition un compte bancaire dans lequel il bloquerait les 7 380 € à mon nom moyennant le paiement de 15 millions de francs guinéens comme frais de commission. Cette solution m'a permis d'entamer les démarches auprès de l'ambassade en vue de l'obtention du visa. Quel soulagement ! Mon envol vers la France n'était plus qu'une question de temps.

Même si ma chance d'obtention du visa était quasi illusoire, car la plupart du temps les étudiants souhaitant poursuivre leurs études en France reçoivent un refus, tel ne fut pas mon cas. Quelle joie !

Après un mois d'attente infernal, l'ambassade m'appela pour aller récupérer mon passeport. À mon fort étonnement, arrivé sur place, l'agent d'accueil me dit tout simplement : « Désolé, monsieur, mais on ne vous a pas appelé pour venir récupérer votre passeport. » J'en suis resté bouche bée pendant au moins deux minutes avant d'essayer de lui expliquer qu'il se trompait, mais il n'a pas daigné m'écouter. Une fois sorti de l'ambassade, je retourne dans la voiture, entre- temps, je reçois un appel de ce même homme me disant de revenir. Il m'a alors délivré avec un air décontracté mon passeport. Faut-il l'ouvrir pour voir si j'ai un avis favorable ou un refus ? En tout cas, j'ai été tétanisé pendant quelques minutes avant de découvrir en feuilletant les pages de mon passeport un visa étudiant long séjour. Imaginez ma joie ! J'ai tout de suite informé ma famille et des amis proches, qui me congratulèrent à tour de rôle. Il fallait désormais préparer mon arrivée sur le sol français.

Eh oui ! sachant que les 7 380 € étaient un emprunt, aussitôt l'obtention du visa, le monsieur a récupéré son argent et empoché les quinze millions de francs guinéens de frais de commissions.

Je me retrouve avec zéro euro pour acheter un billet d'avion et faire face à mes premières dépenses une fois arrivé en France. Je suis resté un mois avant que l'un de mes oncles eu la gentillesse de me payer le billet d'avion.

Il ne suffit pas d'arriver en France, mais il faut aussi trouver où habiter. Un autre gros problème ! Je ne connaissais personne à Reims. Mais j'ai finalement réussi à obtenir le contact du représentant des étudiants guinéens à Reims. Dès notre premier coup de fil, je lui ai expliqué ma situation personnelle et financière, il n'a pas hésité une seconde à me rassurer en me disant : « Petit vient, on verra ce qu'on peut faire. » C'est avec cette assurance que je suis monté dans l'avion le 5 septembre 2015 avec seulement 300 € en poche que mon oncle avait eu la gentillesse de me donner. Je suis arrivé le lendemain à l'aéroport d'Orly ne sachant pas qui allait m'accueillir pour me déposer à la gare de l'Est où je devais prendre un train direction Reims Champagne-Ardenne. L'un de mes cousins qui vit à Paris a finalement eu la bienveillance de venir me chercher à Orly qui, après un détour au McDo, me déposa à la gare et prit le soin de me payer le train tout en me donnant un peu d'argent de poche.

Mon parcours de combattant en France commença dès l'instant où nous nous sommes séparés. L'heure est maintenant venue pour moi de marcher courageusement vers ce pour quoi je suis venu ou de crever.

Bienvenue en France, Ibrahima Diallo !

Chapitre II
Mon séjour en France

Je dirais plutôt que beaucoup d'eau a coulé sous les ponts. Mes premiers pas en France ont ressemblé à un film de science-fiction. Jamais je n'aurais imaginé que ça allait être aussi difficile. Comme je le disais tantôt, je suis arrivé sur le sol français avec seulement 300 € en poche.

À la gare de l'Est à Paris où mon cousin m'a déposé, il a bien essayé de me dresser le portrait-robot de ce qui m'attendait, mais comme tout bon arrivant en Occident, j'étais plutôt ébloui par le charmant décor de la vie occidentale. Aussitôt séparé de lui, l'emprise de la solitude me saisissait au plus profond de mon être. Arrivé à la gare de Reims, mon correspondant n'a pas pu effectuer le déplacement pour venir m'accueillir. J'ai appelé un ami qui était arrivé quelques jours avant moi pour venir me chercher et m'accompagner chez le président des étudiants guinéens où j'allais élire domicile en attendant de trouver mon propre logement. Mais cet ami m'a fait comprendre qu'il ne pouvait se libérer. La peur et l'angoisse ont commencé à me faire péricliter face à un froid de canard qui s'abattait sur la ville. Entre-temps, je recevais l'appel de cet homme qui m'expliqua comment arriver chez lui en prenant le tramway direction hôpital Debré.

Une fois sorti de la gare, j'aperçus un gros engin à tête de serpent. Je m'introduisis à l'intérieur avec mes valises tout en faisant face aux regards difficilement déchiffrables des usagers. Un contrôleur s'avançait alors à pas de caméléon vers moi me disant : « Monsieur vous n'avez pas validé votre titre de transport. » Je répondis : « Désolé monsieur, mais je ne savais pas qu'il fallait payer un ticket et puis le valider. » Arrivé au prochain arrêt, nous descendions ensemble et devant un distributeur de ticket, je présentais un billet de 100 €. Il me regarda avec dédain et me dit : « Non la machine ne prend pas les billets de 100 €, il faut payer avec des pièces ou une carte bancaire. » Je lui ai fait comprendre que je venais d'arriver en France et que j'ignorais comment tout cela fonctionne. Il me laissa remonter dans le tramway et quelques minutes plus tard, j'arrivais enfin à destination.

Le président des étudiants m'accueillit avec le sourire tout en me disant : « Bienvenue en France ! » On se dirige vers son domicile et sur place, je trouve d'autres étudiants fraîchement arrivés de Guinée. Après avoir pris une douche chaude, je commence déjà à appeler tous mes proches vivant en Europe pour les expliquer ma situation et demander leur soutien. Certains m'ont fait savoir qu'au regard de leur situation financière, ils ne pouvaient pas m'aider, d'autres m'ont aussitôt conseillé de solliciter l'asile pour bénéficier d'un soutien de l'État français. Imaginez ma déception ! J'ai passé une nuit blanche. Toute la nuit, j'ai imaginé des scénarios. Que faire ? Comment payer mes frais d'inscription de 400 € à l'université ? Comment trouver un logement sachant que cet homme qui m'a accueilli ne le fait que provisoirement ? Il est marié, père de famille et ne pouvait continuer à faire de chez lui un refuge.

Le lendemain, j'ai aussitôt entrepris mes démarches administratives auprès du service d'accueil des étudiants internationaux et de la préfecture. Étant arrivé quelques jours après le début des cours, j'ai commencé à me rendre en amphithéâtre sans être inscrit officiellement puisque je n'avais pas réglé les fameux de frais d'inscription. À la veille du dernier délai du paiement des inscriptions, l'épouse de cet homme m'a fait un chèque de 400 € pour que je puisse m'inscrire et avoir mon statut d'étudiant avec tous les droits qui s'y accompagnent. Une fois n'est pas coutume, elle sauvait par cet acte tous les sacrifices consentis depuis le début de cette aventure même si ce n'était pas un don. Elle venait de m'enlever une sacrée une épine du pied. Je pouvais encore espérer continuer ma marche !

Petit à petit, j'ai commencé à m'installer dans le décor en faisant à la fois des rencontres à l'université et en dehors. Les premiers témoignages des personnes rencontrées n'étaient plutôt pas motivants. Tous disaient qu'il ne fallait pas s'attendre à la même facilité qui prévaut dans notre système éducatif d'origine. Ici, ils affirmaient que ce n'était pas facile. Trop de contraintes, il faut trouver le juste équilibre. Trouver un petit boulot et faire en sorte au maximum de valider quelques matières aux sessions de rattrapages ou l'année suivante.

Ayant quelques jours plus tard trouvé un petit logement à l'avant-dernier étage d'un immeuble presque délabré, j'ai commencé à faire le diagnostic de la situation. Ibrahima que comptes-tu faire ? N'oublie pas tu es venu ici dans un but bien précis, faire des études de droit et obtenir des diplômes. Certes, tu ne disposes pas de tous les moyens, mais rien n'est impossible. Tu as toujours surmonté les obstacles qui se sont dressés devant toi et ce nouveau défi qui se présente n'a rien d'effrayant. Tu peux réussir !

Je dois avouer que les premières séances de TD ont été d'une extrême difficulté. Les mots de Madame Moreau resteront à jamais gravés dans ma mémoire. Face aux difficultés que nous rencontrions en tant qu'étudiants étrangers de son groupe de travaux dirigés, elle n'a pas hésité à nous demander : « Pourquoi êtes-vous là ? Pourquoi vous êtes venus en France ? Vous êtes là pour les aides, pour les papiers ? » C'était d'une violence inouïe et aucun de nous n'a eu le courage de souffler un mot en guise de réponse. Traumatisés, on s'est amusés à la sortie du cours à la comparer à une militante du Front National. Aujourd'hui encore, je me mords la langue de ne pas lui avoir répondu sur le tas. Était-ce du racisme ou juste une haine inavouée ? Seule elle peut répondre à cette question.

Un autre évènement m'a marqué à plus d'un titre. Un jour, une équipe de TF1 est venue faire un reportage au sein de l'Université sur la thématique du féminisme. Notre professeur de vie politique nous avait prévenus de leur arrivée. Le jour J, je me suis préparé au mieux dans l'optique d'être interviewé. À la fin du cours, l'équipe de reportage a fait un tour de table, arrivée à mon niveau, la journaliste m'a tendu le micro : « Présentez-vous, monsieur, et dites-nous ce que vous pensez du féminisme. » Je me suis présenté et à mon fort étonnement, elle m'a repris du volet après lui avoir dit que je m'appelais Ibrahima Diallo. Elle m'a rétorqué avec un regard plein de mépris : « On va vous appeler Olivier ! » Sur l'instant, je n'ai rien compris. Constatant le regard de tous les autres étudiants autour de moi et dans l'optique de faire bonne impression, j'ai continué à parler en exposant la lutte de l'écrivaine Simone de Beauvoir pour le féminisme et en terminant mes propos en citant Frantz Fanon : « Chaque génération doit, dans une relative opacité, découvrir sa mission, l'accomplir ou la trahir. » En déclamant cette phrase, j'étais animé par le sentiment de faire savoir qu'il appartient à ma génération de faire de l'égalité femme-homme, une réalité.

Une fois l'interview terminée, je me suis vite rendu compte de la bêtise que je venais de commettre en acceptant mon nouveau prénom français, Olivier. En me nommant ainsi, était-ce une façon pour la journaliste de me faire savoir qu'une personne qui se prénomme Ibrahima Diallo ne pouvait avoir un avis tranché sur des questions de société comme celles liées au féminisme ? Cette question restera très certainement sans réponse puisque je n'ai jamais remonté ce malheureux incident ni à celle qui a invité cette équipe de reportage ni à l'administration de l'université. Cet évènement me consume encore au plus profond de moi-même !

Mon premier semestre fut un échec, n'ayant pas eu la moyenne, je me suis juré de tout faire au second pour valider ma première année. Mais compte tenu de ma situation précaire, il fallait que je trouve un petit boulot pour faire face aux multiples dépenses du quotidien. Mon oncle se trouvant en Guinée avait bien eu la gentillesse de m'envoyer 1 000 €. Ce qui m'a servi à rembourser mes frais d'inscription et à payer quelques mois de loyer. Le Président des étudiants guinéens m'a entre-temps trouvé un job étudiant au sein d'un bar du centre-ville, avant de m'orienter vers un autre emploi plus stable comme plongeur dans un restaurant italien. Je me suis accroché à mes études et au petit boulot en ayant un juste équilibre. Ceci m'a permis à la fin du second semestre de valider ma première année de droit avec une moyenne honorable sans aller aux rattrapages. Vous voyez, rien n'est impossible dans ce monde !

Le représentant des Guinéens de Reims que je ne connaissais ni d'Ève ni d'Adam m'a pris sous son aile bienveillante en m'assistant au quotidien. Connaissant ma précarité, il a payé une partie des frais de formation à Paris pour que je puisse obtenir le certificat de qualification professionnelle me permettant de décrocher un job étudiant en tant qu'agent de sécurité.

Une autre histoire qui m'a énormément marquée a été mon séjour de formation à Paris qui devait durer à peu près un mois. N'ayant aucun point de chute à Paris, j'ai été à nouveau confronté à un problème de logement. J'ai épuisé tout mon catalogue de contact sans trouver quelqu'un pour m'héberger. Fallait-il laisser filer cette offre de formation qui me permettrait d'avoir un job stable et des revenus ? Bien évidemment, je ne pouvais pas me le permettre !

À l'approche de la formation, j'ai pris une petite valise et enfoui quelques vêtements et je suis allé à Paris sans avoir où j'allais passer la nuit. C'est ainsi que je me suis retrouvé sans domicile fixe pendant deux jours avant qu'un ami vivant à Reims eût la gentillesse de faire jouer son réseau afin que je sois hébergé durant mon séjour. Me trouvant à des kilomètres de mon lieu de formation, je suis resté quelques jours dans une ambiance un peu morose en cohabitant avec le propriétaire des lieux. Je ne me suis pas lavé une seule fois pour ne pas trop abuser de son hospitalité, à vrai dire il ne me l'a pas proposé et moi je ne voulais pas faire augmenter sa facture d'eau. Ayant expliqué au représentant des Guinéens mon désarroi, il m'a finalement trouvé un lieu où passer la nuit dans une famille formidable qui m'a à la fois accueilli, nourri et me permis d'avoir tout le confort possible durant mon cours séjour de formation.

Après mon séjour parisien, je suis revenu à Reims satisfait d'avoir mené à bien ce projet. En attendant de recevoir mon diplôme et les autorisations indispensables à la recherche de travail dans la sécurité, j'ai continué à travailler au restaurant italien où pendant toute une journée, terré dans une cave en plein ramadan, je lavais des assiettes et autres ustensiles de cuisine.

Mon aventure en France a pris un autre tournant lorsqu'une tante vivant à Toulouse m'a proposé de la rejoindre avec la promesse de m'héberger pour quelque temps et de trouver un travail. Je n'ai pas hésité une seconde !

J'ai commencé par rendre mon logement qui continuait à être de plus en plus délabré et une amie sénégalaise qui devait séjourner à Paris a eu la bienveillance de mettre à ma disposition son petit appartement en attendant mon départ à Toulouse. Je suis resté presque un mois et demi sans qu'elle me réclame un sou et en attendant que l'université de Toulouse valide mon transfert de dossier en deuxième année de droit.

Chapitre III
Mon séjour dans la ville rose

Assis dans le bus en direction de Toulouse, je me suis repassé tout le film de mon arrivée en France et de mon court séjour dans la ville rémoise en Champagne-Ardenne. Mon objectif une fois arrivé dans la ville rose était de trouver une situation stable à la fois psychologiquement et financièrement pour pouvoir poursuivre mon cursus universitaire. Mais déjà à Reims, certains m'ont fait savoir que vouloir changer de ville sous-entend un retour à la case départ. Il faut dire que l'Université Toulouse 1 Capitole est réputée être parmi les facultés les plus rigoureuses en droit. Au-delà du fait qu'il fallait tout reprendre à zéro tant dans les démarches administratives qu'en termes d'adaptation de mon nouvel environnement de vie, le risque en valait-il la peine ? En tout cas, je fais bien partie des adeptes de l'expression de ceux qui pensent que dans la vie : « Qui ne tente rien n'a rien. » Arrivé à la gare Matabiau de Toulouse, un cousin est venu me chercher en me déposant dans une maisonnette située en banlieue.

Avant mon départ de Reims, j'avais cru qu'une fois installé à Toulouse, j'allais partager le même toit que ma tante pour ainsi rompre mon isolement. Ce ne fut pas le cas, car ma tante vit avec son compagnon à la campagne, la maisonnette leur servait juste de logement secondaire. Selon notre entente, une fois que j'aurai trouvé un job étudiant, je devrais verser à chaque fin de mois un certain montant à son compagnon. Mon cousin avant de me laisser, m'a fait savoir que j'allais cohabiter avec l'un de ses frères qui était fraîchement arrivé aussi. J'acquiesce de la tête tout en prenant le soin après son départ de demander confirmation à ma tante. Cette dernière écarta les propos de mon cousin en me disant qu'elle n'a pas eu cette conversation avec lui. Voulant être solidaire, j'ai fait comprendre à ma tante que je ne voyais pas d'inconvénient à cohabiter avec cet individu. Elle m'a très vite fait savoir que son compagnon ne serait pas d'accord avec cette idée. Après avoir passé une nuit avec cette personne, j'en suis parvenu au constat que certains vices liés à sa personnalité ne peuvent nous assurer une cohabitation paisible.

Fin de l'histoire !

Petit à petit, j'ai commencé à prendre mes marques dans la ville rose. Toulouse est réputée être une ville agréable et hospitalière contrairement à Reims où le racisme envers les étrangers est monnaie courante. Je me rappelle une fois dans un magasin Lidl, une famille a tenu des propos méprisants envers mes amis et moi en disant : « Les Blacks aussi sont là. » Toulouse présente plutôt un visage multiculturel, il suffit de longer les bords de la Garonne pour se rendre compte de la mixité culturelle et du vivre-ensemble.

Après avoir effectué mon premier entretien sur recommandation de mon cousin, une agence de sécurité a bien voulu m'offrir mon premier contrat de travail à temps partiel. Le recruteur m'a vaguement présenté en quoi allait consister mon travail et les risques encourus. J'ai fait mine de tout comprendre, mais en réalité tout ce qui m'importait c'était d'avoir une source de revenus pour ne pas mourir de faim et payer mes frais d'inscription à la rentrée en septembre. Habillé d'un costume noir, une cravate bien serrée au cou et portant une paire de souliers bien cirée, mon premier jour de travail ne fut pas pour moi une promenade de santé. La pression est montée crescendo dans un environnement où les responsables de magasins confrontés à une multitude de vols veulent mordicus que l'agent assurant la sentinelle devant l'entrée fasse peur et saisisse tous les voleurs d'articles de surface. Moi qui recherchais un havre de paix, je me suis vite rendu compte que je devais me transformer en super héros et satisfaire les moindres désidératas des responsables au risque de me faire licencier. Ai-je le choix ? Évidemment non !

Très vite a commencé un jeu de cache-cache du chat et de la souris. Une fois, j'ai interpellé un groupe d'adolescentes qui ont volé des vêtements. Aussitôt s'est installé un climat d'hostilité entre insultes racistes et mépris, j'en prenais chaque jour plein les oreilles. À aucun moment, je n'aurais imaginé que ces genres de scènes allaient être mon lot quotidien. Malheureusement, il fallait s'y habituer, c'étaient les risques du métier que le recruteur avait bien tenté de me faire comprendre.

La rentrée universitaire se profilant, je devais trouver le juste équilibre entre mon planning de travail et celui des cours à l'université. Les premiers jours de la rentrée n'ont pas été faciles, j'arrivais souvent en cours dans un état de somnolence. La fatigue d'être debout au travail toute la journée à force de répétition m'a donné un coup de massue quant à ma capacité de concentration en cours magistral. Contrairement à la faculté de droit de Reims où chaque cours avait une durée de trois heures dans des amphithéâtres en forme de coquilles, à Toulouse les cours magistraux duraient une heure et demie. Une aubaine pour moi puisqu'entre deux cours, j'avais le temps de me reposer dans un coin et faire une sieste.

N'arrivant pas à suivre le rythme des professeurs en cours, il me fallait vite trouver quelques âmes charitables qui voudraient bien me partager leurs notes.

La concurrence étant rude entre étudiants, la chasse aux notes de cours fut une immense déception dans un premier temps. Aux vues des demandes à répétition de cours sur la page Facebook dédiée aux étudiants, une étudiante a bien eu la gentillesse de créer un lien drive, accessible par tous où elle partageait chaque fin de semaine tous les cours. Cette solidarité exprimée par ce geste me facilita la tâche dans la préparation de mes examens, car il me suffisait dorénavant d'assister aux cours sans prendre de notes et ensuite de les récupérer en fin de semaine sur la plateforme. J'ai validé ma deuxième année haut la main sans passer cette fois-ci par la case des rattrapages.

Au fil des jours, des semaines, des mois, j'ai continué à enchaîner des missions dans les magasins. Les jours se passent et se ressemblent étant donné que j'étais confronté aux mêmes problèmes d'incivilités et de mépris. Assurant la sentinelle devant l'entrée du magasin, les clients passaient à tour de rôle sans même m'adresser le moindre bonjour. Pour moi, les consignes sont claires, je dois obligatoirement dire :

« bonjour, bonsoir et au revoir » à tout client entrant ou sortant des lieux. Et à force de les répéter chaque jour, c'est devenu un automatisme pour moi. Quelquefois, vu ma corpulence svelte et mon positionnement, certains me confondaient aux mannequins sur lesquels on exposait des modèles d'habits en vente.

C'est dans cette atmosphère insolite qu'un jour, j'ai été surpris de la bienveillance d'une petite fille de sept ans. Me dépassant à la porte, je l'ai entendue dire à sa mère : « Maman, j'aimerais bien dire bonjour au monsieur. » Sa mère voyant qu'elle n'arrêtait pas d'insister l'a finalement autorisée à venir à ma rencontre. Elle s'est avancée vers moi avec l'innocence qui anime son jeune âge, avec un air décontracté et plein d'assurance en me lançant avec un magnifique sourire : « Bonjour monsieur ! » Cet acte d'une rareté significative dans mon train de vie depuis que j'ai décroché ce job, aussi insignifiant, paraît-il, a soudainement illuminé ma journée. Je lui ai renvoyé l'ascenseur tout en la félicitant pour son savoir-vivre. Je me suis tourné vers sa mère en lui indiquant que sa fille a reçu une belle éducation. Avant de prendre congé de moi, la petite m'a précisé que son papa était d'origine camerounaise et vu que le soir, il y'avait la finale de la coupe d'Afrique des Nations qui opposait le Cameroun et l'Égypte, je lui ai promis de supporter l'équipe dont son père était originaire. On s'est quittés avec le sourire !

Arrivé chez moi dans les environs de 20 h 30, soudainement j'entends une altercation au petit commerce situé en bas de chez moi. Le gérant a pris en flagrant délit plusieurs individus qui ont commis un vol à l'étalage au sein de son magasin. Voulant lui rendre service, je suis aussitôt descendu en l'aidant à pourchasser les voleurs. Ils s'étaient réfugiés près d'une école, non loin d'une petite voiture avec laquelle, ils opéraient. Le gérant de la boutique tenait en ses mains un sabre et une pompe à gaz lacrymogène et était prêt à en découdre. C'est alors qu'ils décidèrent de rendre les articles volés tout en présentant leurs excuses.

Le voisinage ayant eu écho des altercations avait déjà contacté la police qui ne s'est jamais déplacée. Entre-temps, l'un des voleurs me surprit en train de prendre en photo la plaque d'immatriculation de leur voiture. Ce qu'il ne fallait surtout pas faire. J'ignore ce qui m'a pris, mais très vite l'un d'eux m'a lancé à la figure : « On sait où tu habites, si tu montres ça à la police, tu entendras parler de nous. » Leur détermination a provoqué en moi un instant d'effroi qui a traversé mon corps. Eh oui à Toulouse, les règlements de compte sont monnaie courante. Par peur des représailles, je suis resté enfermé chez moi pendant une semaine. Que deviendraient ma famille, mes proches si quelque chose de malheureux m'arrivait ? Pour rien au monde, je prendrais dorénavant ce genre de risque sachant que malgré mon aide, le gérant ne m'a même pas daigné m'adresser un mot de remerciement.

Après une semaine terrée chez moi, j'ai finalement demandé à mon employeur de m'affecter dans un autre magasin plus calme. C'est ainsi que je me suis retrouvé Rue des Arts en centre-ville toulousain dans la plus belle boutique de luxe française : Hermès. Là-bas, je me suis senti plus tranquille, la clientèle n'avait rien à voir avec ce que j'avais l'habitude de rencontrer dans les autres enseignes plutôt réservées aux personnes ayant un revenu très modeste. Chez Hermès, je me suis rendu compte du fossé qui existe entre les classes sociales. J'ai compris au sens le plus littéral la différence entre un smicard et quelqu'un qui gagne deux ou trois fois plus. Situé dans une rue au croisé des chemins de plusieurs ruelles menant à la place du capitole, principal lieu de rassemblement des Toulousains, le magasin s'étale au moins sur une surface de quarante mètres carrés. En voyant le prix des articles pour la première fois, j'ai failli m'évanouir en constatant ébahi qu'aucun article n'était à ma portée. Le prix d'une montre ou d'un foulard correspond à peu près plusieurs mois de paies.

Même en mangeant des pâtes tous les jours pendant un an, je ne peux m'offrir le luxe de me payer une montre Hermès. Le malaise était grand et du jour au lendemain, je me suis habitué à voir des gens défiler à longueur de journée pour se faire plaisir ou payer des cadeaux à leurs proches en dépensant des milliers d'euros. Étant donné que les clients qui venaient ne présentaient aucun risque, mon rôle était tout simplement de leur ouvrir et tenir la porte avec le sourire et de leur adresser les salutations d'usage. Enfin, je retrouve mon havre de paix où je n'étais plus amené à courir derrière des voleurs qui n'hésitaient pas dans les autres magasins à me traiter de tous les noms d'oiseaux.

J'ai abordé ma dernière année de licence avec beaucoup de sérénité toujours en faisant en sorte de trouver le juste équilibre entre mon contrat de travail que j'effectuais dans un dessein purement alimentaire et mon planning de cours. Mais mon employeur à un moment donné a voulu rompre cet équilibre en me demandant de choisir entre mon travail et mes études. Pendant un cours, il m'a appelé pour me faire part de mon absence au travail alors que je lui avais indiqué quelques jours auparavant de mon indisponibilité puisque j'avais quelques cours à rattraper. La tension est très vite montée au téléphone jusqu'à ce qu'il me demande de choisir entre mon job étudiant et mes cours. J'ai essayé de lui faire comprendre que je suis venu en France pour mes études et que ce travail me sert juste à survivre. Constatant mon entêtement, il m'a raccroché au nez, car mon choix était vite fait.

Pour moi c'était soit il adapte mon planning à mes cours soit je présente ma démission quitte à rester sans revenu. L'angoisse montant à l'approche des examens, j'ai pris quelques jours de congés pour pouvoir valider ma licence en droit. Ce que je réalisais avec mention. Je venais d'atteindre un objectif majeur de ma venue en France en décrochant mon premier diplôme d'études supérieures. Dorénavant, rien ne peut m'arrêter ! Je m'étais juré juste avant de quitter la Guinée d'atteindre au moins le niveau master en France.

J'ai toujours rêvé quand j'étais enfant de devenir secrétaire général de l'Organisation des Nations Unies pour apporter la paix dans le monde. Vous avez bien compris c'était un rêve d'enfant, car en m'inscrivant en master I de Droit international à la rentrée, je me rendais compte que je vivais dans un monde complexe où les intérêts sont plus importants que les vies humaines. Déception ! Malgré tout, je suis toujours convaincu que l'atteinte de cet idéal est possible. J'ai continué à enchaîner les petits boulots et les cours à la fac jusqu'à l'obtention du diplôme de Master I. Compte tenu des places très limitées dans les universités en master II, il fallait postuler dans plusieurs villes dans l'espoir d'être accepté dans une formation.

Ce nouveau périple conduisit l'une de mes meilleures amies à la fac et moi à envoyer de multiples dossiers de candidatures pour ne pas rester sans formation à la rentrée. L'enjeu était d'autant plus crucial sachant que pour ma part, le renouvellement de mon titre de séjour était conditionné par la préfecture à la présentation d'un justificatif d'inscription. La chasse au master II m'obligea avec le soutien de mon amie à parcourir certaines villes de France.

Convoqués en vue d'un entretien dans un master à Poitiers, c'est ensemble que nous avons pris le train en direction de cette ville jamais visitée auparavant. Après 5 heures de train avec correspondance à Bordeaux, nous sommes arrivés avec une fatigue indescriptible. À la sortie de la gare de Poitiers, ma compagne de fortune, très déçue du visage que présentait la ville, a fondu en larmes. L'ambiance était très morose, cette ville étant montagneuse avec des pentes à perte de vue, je me suis amusé à lui dire que le rappeur Booba devait séjourner dans cette ville pour travailler un peu ses mollets. Il s'en est suivi un fou rire. Arrivés à l'hôtel, les larmes déjà séchées, elle m'a dit : « Ibra, je ne me vois pas étudier dans cette ville. » Elle avait bien raison, car la ville n'avait pas une once d'attractivité, les rues en pente désertes, présentaient une ambiance de cimetière. Néanmoins, le lendemain nous nous sommes présentés à l'université de Poitiers en vue de passer notre entretien bien que ce fût déjà décidé, nous ne souhaitions pas y revenir. Après l'entretien qui s'était plutôt bien passé, nous nous sommes promenés au centre-ville, une fois de plus nous avions été déçus du paysage qu'offrait la ville. Un détour au restaurant s'imposait afin de noyer notre chagrin en mangeant une entrecôte accompagnée de frites. Un véritable festin !

De retour à Toulouse, j'ai été heureux d'ouvrir mes mails et de constater que l'université de Cergy-Pontoise m'avait accepté en master II Droit des relations économiques internationales et européennes. Quelques jours après, mon amie aussi fut acceptée dans un autre Master à Toulouse. Heureux de savoir que nous n'allions pas devoir retourner à Poitiers malgré un avis favorable, nos chemins se sont séparés quelques semaines après. Mais une amitié très solide venait de naître entre deux personnes qui se sont croisées à la fac par le plus grand des hasards. Mon aventure en France venait de prendre à nouveau un autre tournant.

Paris, ville lumière, j'arrive !

Chapitre IV
Mon séjour parisien, tribulations d'un jeune étudiant en master II

Cet été n'a pas été des plus reposants, je devais travailler trois fois plus encore pour préparer mon séjour parisien qui se profilait à l'horizon. Dans le bus m'amenant à la piscine de Colomiers, une petite ville à côté de Toulouse, la chaleur m'étouffait. Heureusement qu'à mi-chemin, le chauffeur pensa à mettre en marche le système de climatisation. Mon employeur venait d'obtenir un contrat de sécurisation à la suite d'un appel d'offres de la municipalité de Colomiers. Il n'a pas hésité compte tenu de mes disponibilités à me proposer un temps plein afin de faire partie de l'équipe d'agents en charge de sécuriser et de veiller aux usagers venant profiter de l'espace nautique Jean-Vachère. Avec 1 100 m^2 de surface aquatique interne, dont quatre bassins couverts, 346 m^2 d'éléments aquatiques extérieurs et une plage de 975 m², ce lieu accueille par jour de milliers de personnes à la recherche de fraîcheur en ce temps où la canule brûle jusqu'aux tripes. Il y régnait une ambiance bon-enfant.

Habillé d'un polo de couleur jaune, d'un short de plage et de claquettes, mes collègues et moi surveillons le moindre recoin pour éviter tout incident. Entre les cris qui résonnent à longueur de journée, les parents le plus souvent soucieux d'avoir le bronzage parfait en plein air, laissant sans surveillance leurs enfants ; tous les voyants laissaient entrevoir la survenance d'évènements malheureux. Tout le monde était aux aguets, mais ma vigilance se trouvait parfois vacillante à la vue de silhouettes en tout genre défilant sous mes yeux.

Habitué au brouhaha des magasins du centre-ville, je respirais ici l'odeur d'une eau aux multiples sensations. Ce parfum de bonheur s'est vite transformé en fumée toxique. Le chef de poste, un homme d'origine maghrébine m'appelant au début « fils », a voulu du jour au lendemain transformer mes journées en véritable cauchemar. Entre pression psychologique, insultes en tout genre, nos rapports se sont très vite détériorés. Ayant pris l'habitude à chaque pause de m'offrir une gaufre au petit restaurant d'à côté, il a cru obtenir tous les privilèges sur ma personne au point de m'humilier sans raison devant tout le monde. C'était plutôt sans me connaître. J'ai toujours eu horreur de l'autorité démesurée. À plusieurs reprises, il a essayé de rapporter à l'employeur des accusations infondées à mon encontre. Conscient de la nécessité de l'argent que j'allais avoir à la fin des vacances grâce à ce boulot pour financer mes études à Paris, je ne me laissais pas faire.

Un jour, on a failli en venir aux mains, heureusement que mes collègues se sont interposés. L'incident fut remonté à l'employeur, ce dernier convoqua tout le monde afin de trouver une solution. Dépassé et épuisé par les évènements, j'ai décidé de mettre fin à mon contrat.

Mes revenus accumulés grâce à quelques mois de travail acharné me permirent d'aller effectuer un petit séjour chez ma tante qui vit dans la banlieue de Madrid en Espagne depuis quelques années. Me retrouver en famille dans une ambiance estivale me redonna le sourire. Madrid a la particularité d'être une ville très festive. Ne parlant pas un iota la langue, cela ne m'empêcha guère d'arpenter les rues madrilènes à la recherche d'un air de liberté. Ma petite escapade touristique me permit de me fondre dans le folklore d'une ville en pleine effervescence.

Fervent admirateur de la série télévisée « La Casa de Papel » qui met en scène un génie révolutionnaire à la tête d'un groupe de braqueurs met en exergue les tares du capitalisme et du système bancaire. La visite de certains lieux de tournages dont la banque d'Espagne, l'épicentre de cette révolte antisystème me permit un peu plus de partager les idées du « Professeur ».

Mais la raison principale de ma visite se trouvait à quelques kilomètres de là. Le Santiago Bernabeu, sanctuaire du football espagnol, lieu de rencontre de tous les amoureux du ballon rond, ajoute un autre éclat à cette ville éblouissante. À la sortie du métro, je vois se dresser devant moi de gigantesques poutres en béton qui tiennent à chaque extrémité des tribunes qui entourent le stade. Je me rappelle encore la sensation de joie qui m'envahissait lorsque je regardais les matchs du Réal Madrid dans ma maison en Guinée. J'ai rêvé toute ma vie de vivre les sensations que procuraient les matchs du championnat espagnol surtout les confrontations avec le club catalan du FC Barcelone, l'éternel rival. À la rentrée du stade, un guichet ouvert au public proposait un tour du Bernabeu à seulement vingt euros. Aussitôt, je me suis faufilé entre les visiteurs pour obtenir le fameux ticket et entamer mon pèlerinage au sein de ce lieu mythique rempli d'histoire.

La visite a commencé au musée du Club où devant moi, j'ai découvert l'impressionnante collection de trophées disposés en montagnes russes depuis un siècle d'existence. L'émotion était vive et intense ! Sur des écrans géants étaient diffusées toutes les finales remportées par le club avec une mention spéciale à la finale de ligue des champions de l'édition 2001-2002, remportée par la « Casa Blanca » contre le club allemand de Bayer Leverkusen.

Zinedine Zidane avait illuminé cette soirée à la suite de sa magnifique reprise de volée permettant à son club de remporter cette fameuse coupe aux grandes oreilles. Un pur éclair de génie ; à chaque visionnage de ces images, des frissons me traversent le corps ! Après une descente sur la pelouse, la visite s'est achevée au vestiaire des joueurs. Le club est réputé pour son goût de joueurs galactiques. Je me suis retrouvé devant les vestiaires de grandes stars comme Cristiano Ronaldo. Même s'ils n'étaient pas présents ce jour, j'ai senti partager avec mes idoles que j'ai tant chéri à la télé un moment de communion inoubliable.

Trois jours après, je suis venu assister au match de la coupe de Roi opposant le Réal Madrid au petit club de Las Palmas. Dans les tribunes où les supporters entonnaient : « Hala Madrid y Nada Más », hymne du

Réal Madrid, j'ai senti une montée soudaine d'adrénaline en voyant les joueurs dont Cristiano Ronaldo et ses co-équipiers en tête d'affiche. À la fin du match, j'ai eu du mal à sortir des gradins du stade, j'étais en train de rêver et pour rien au monde je ne voulais y mettre fin. Un agent voyant mon entêtement à rester dans les gradins s'est avancé vers moi tout doucement en me montrant le chemin de la sortie. Déçu et à la fois heureux d'avoir réalisé ce rêve d'enfant, je me suis fondu dans la masse en rejoignant le métro qui me conduisit à Mostoles dans la banlieue de Madrid.

Ne sachant pas encore où habiter quand je serai à Paris pour la poursuite de mes études, j'ai commencé à vérifier des annonces de logement sur internet. N'ayant pas eu de retour positif, j'ai toute de suite envisagé l'éventualité de trouver quelqu'un qui accepterait de m'héberger. J'ai envisagé toutes les pistes en appelant certains membres de ma famille, des proches, des amis et même des inconnus, mais à chaque fois, ils se trouvaient des excuses. Une fois de plus, je me suis retrouvé seul dans la galère et le désespoir sans pouvoir compter sur personne. Vais-je revivre la même situation quelques années d'antan où je me suis retrouvé sans domicile fixe dans les rues de Paris ? Je ne souhaiterais pas revivre cette expérience surtout en cette saison où le froid faisait son retour.

Le Nord est réputé pour son temps glacial et il fallait vite trouver une solution au risque de passer la nuit à la belle étoile.

Après un détour à Toulouse où je suis venu récupérer le reste de mes affaires, ma meilleure amie m'a proposé de visiter la ville natale de ses grands-parents. Après une heure dans le train, à la sortie de la gare, je découvre Carcassonne et sa célèbre cité médiévale. En voyant la Cité, avec ses nombreuses tours de guet et sa double enceinte, j'ai imaginé me retrouver sur les lieux de tournage de « Game of Thrones ». Tout faisait penser à cela tellement ces lieux offrent un retour en arrière de plusieurs siècles de l'histoire gallo-romaine. Mon guide touristique du jour m'expliqua avec beaucoup d'aisance l'histoire de « Dame Carcas » qui, à la suite du décès de son mari, aurait pris en main la défense de la ville face à l'armée franque et l'aurait repoussée. Son buste sculpté devant l'entrée de la Cité témoigne de l'hommage que la ville a bien voulu rendre à son héroïne.

Notre visite s'est poursuivie à l'intérieur de la cité dans laquelle, on peut voir exposés des objets archéologiques de tout genre. Ceci faisant le bonheur des touristiques. Une visite des remparts intérieurs nous exposa au grand jour la stratégie défensive mise en place pour se protéger des attaques extérieures. L'arrivée du crépuscule où nous assistions depuis les remparts au coucher du soleil achevait avec éclat cette petite sortie touristique.

À la veille de la rentrée universitaire, j'ai pris le train direction Paris où je devais visiter un appartement et en même temps parachever l'inscription administrative à l'université de Cergy-Pontoise. Sur le quai de la gare Matabiau où mon amie s'est empressée de me rejoindre, une vive émotion fusionna nos âmes. Certes, le début de notre relation amicale fut très tourmenté par des sentiments inavoués. Cependant, la vie estudiantine, le souci constant de réussir nos études, le partage de certaines valeurs profondément humanistes ont finalement fini par prendre l'ascendant sur toutes autres considérations. Oui, l'amitié femme-homme existe ! Avec elle, j'en ai eu la preuve la plus éloquente. Avant de rejoindre ma place dans le train, elle s'est avancée doucement vers moi en me tendant un petit porte-monnaie noir. « Garde-le sur toi, tu l'ouvriras plus tard. » C'est ainsi qu'on annonça le départ imminent du train. Assis près de la fenêtre gauche du wagon, au bord des larmes, elle leva la main pour me dire au revoir. Très ému de tout ce qu'elle et sa famille ont fait pour moi depuis notre rencontre, je me suis senti pour la première fois depuis que je suis arrivé en France être entouré par des personnes formidables.

J'ai certes laissé ma famille en Guinée, mais en France, j'en ai trouvé une autre avec laquelle, je n'ai aucun lien de sang. En ouvrant le porte-monnaie pour enfin découvrir son contenu, j'ai été très surpris de découvrir une somme d'argent à l'intérieur. Qu'ai-je fait pour mériter tant de considération de sa part ? Seule elle peut répondre à cela. Je me suis fait des films dans la tête durant tout le voyage sans pour autant cerner cette bienveillance. Elle fait parler son côté social indéniablement hérité de ses parents.

Arrivé à la gare de Paris Montparnasse, je me précipitais avec mes deux valises en main vers un agent de la SNCF qui m'indiqua la direction à prendre pour rejoindre Cergy-Pontoise. N'ayant pas été attentif à ses indications, je me suis rendu compte au bout de plusieurs stations traversées que j'avais emprunté la mauvaise direction. Fatigué et dans la tourmente, j'ai finalement rebroussé chemin vers la bonne direction. Arrivé tardivement à ma destination première, j'ai trouvé le service administratif de l'université fermé. Je m'assoupis quelques minutes pour reprendre de l'énergie et entre-temps, je reçois l'appel d'un propriétaire avec qui j'avais échangé la veille pour visiter un appartement qu'il met en location à dix minutes de la fac. Ne sachant pas encore où je vais passer la nuit, je suis directement allé vers l'adresse qu'il m'a indiquée en suivant le GPS.

Sur place, je tombe nez à nez sur un homme grand de taille certainement d'origine bangladaise qui me salua par une poignée de main. Après les salutations d'usage, il m'a fait visiter une petite maison à l'intérieur de laquelle se trouvent plusieurs chambres. Certaines étaient occupées par des jeunes et les autres quasiment vides. Il me montra la chambre dont les photos se trouvaient sur l'annonce « Le Bon coin ». Tout semblait parfait jusqu'à ce qu'il me demande de payer sur place et sans avoir signé le contrat de bail, tous les frais liés à la caution et au premier loyer.

Constatant ma réticence et mes questionnements sur la fiabilité de sa démarche, il tenta par une manœuvre sournoise de se justifier en me disant : « La maison appartient à ma mère, c'est elle qui doit en premier signer le contrat de bail. » Je lui ai répondu qu'il n'y avait pas de problème. Néanmoins, je m'étais promis de ne rien lui donner tant que je n'avais pas signé le contrat de bail et avoir les clés en ma possession. Désespéré et voyant que je n'allais pas tomber dans son piège, il me demanda de revenir le lendemain tout en prenant le soin de m'informer que j'étais en concurrence avec d'autres personnes intéressées. Un moyen désespéré pour lui de me soutirer mon argent et pour ensuite disparaître dans la nature. Fort heureusement, je ne me laissai pas berner. On m'avait dit qu'à Paris, les arnaqueurs faisaient fortune cependant, je n'aurai jamais imaginé un jour être leur proie. Ouf, je l'ai échappé belle !

À l'approche du coucher du soleil, j'ai finalement appelé un ami vivant à Reims pour qu'il puisse m'héberger quelques jours en attendant de trouver un logement. Reims étant à une heure et demie de Paris, j'ai décidé afin de ne pas passer la nuit à la belle étoile de poser mes valises et de faire la navette les jours suivants. Pendant une semaine, j'allais suivre mes cours à Paris et le soir revenir sur Reims. Financièrement, cela a épuisé tous mes revenus accumulés pendant les vacances. Toutefois, j'ai fini par trouver une chambre dans un appartement en colocation se trouvant à deux kilomètres de l'université. Le peu d'argent qui me restait sur le compte m'a servi à payer la caution et le premier loyer.

Place maintenant aux études !

Le master II représente pour chaque étudiant, une année charnière, car, elle vient clore cinq années de cursus universitaire. Pour ma part, comme je l'ai longuement évoqué dans ma lettre de candidature, le Master choisi me permettrait dans un futur proche d'accompagner mon pays dans les réformes entreprises dans le domaine des investissements. Ainsi, j'ai décidé de me donner corps et âme pour réussir brillamment cette année. Les premières semaines de cours n'ont pas été faciles. Nouvel établissement, nouveaux professeurs, nouvelle méthode de travail et surtout nouvelles rencontres d'étudiants ayant tous effectué leurs cursus au sein de l'établissement et d'autres comme moi venant d'ailleurs. L'intégration fut ardue !

Entre méfiance envers l'inconnu, la défense d'intérêt personnel, très vite s'installa un climat d'hostilité. Je me rappelle encore l'incident que j'ai vécu avec l'un des étudiants. Au début, on s'entendait bien jusqu'à ce qu'on soit amenés à réaliser un travail de groupe ensemble qui fut un fiasco. Brillant orateur, très cultivé, j'ai été très vite charmé par son personnage. Mais son égoïsme éclata au grand jour lorsque, j'ai finalement décidé de participer à la sélection d'étudiants qui allait représenter l'université au concours Charles-Rousseau.

Ce concours francophone de procès simulé en droit international réunit chaque année plusieurs équipes d'étudiants venues de différents pays. J'avais à cœur de faire partie en début d'année de l'équipe qui aurait la grande responsabilité de représenter l'université de Cergy-Pontoise. Malheureusement, compte tenu de ma situation à la rentrée, je m'étais désisté pour pouvoir me concentrer sur la recherche de logement et de stabilité. La première présélection n'ayant pas satisfait les organisateurs, ils ont décidé d'en organiser une nouvelle à laquelle j'avais finalement choisi de participer.

Cette décision n'a pas été du goût de tout le monde. Les premiers sélectionnés ont accueilli d'un mauvais œil la décision des organisateurs. Cette situation a fini par scinder la promotion. Sur le groupe WhatsApp, j'ai posté un message en demandant à ceux qui ont déjà participé à la première sélection de m'expliquer comment cela s'était déroulé pour eux. Aussitôt, je fus pris à partie par celui que j'avais commencé à admirer en début d'année. Il me dit en réponse à mon message, des propos dont je ne saisissais pas le sens : « Forceur ou farceur, avec toi on ne sait pas à quoi s'attendre. » Que voulait-il me dire à travers ce message ?

Durant quelques minutes, je me suis mis à décortiquer le sens de son propos sans pourtant y parvenir. Je lui ai alors répondu en postant sur la messagerie : « J'ignore ce que tu veux dire cependant merci de m'éclairer demain quand on se verra en cours, je te serai tout ouïe. » Le lendemain, arrivé en cours, il a fait mine de ne pas me voir durant plusieurs heures. Agacé et très impatient qu'il me donne le sens de ses propos, je me suis doucement avancé vers lui en exigeant des explications. Debout, faisant face à moi, il me lança tranquillement : « Tu sais, Ibrahima, c'est soit tu es mon ami, soit mon ennemi ! » Ces propos aussi sanglants qu'ils puissent paraître me laissaient sans voix. Je lui répondis finalement : « tu sais quoi ? Je ne veux être ni ton ami ni ton ennemi. » Tout ce dont j'avais envie à cet instant c'était de lui mettre une patate en pleine figure. Toutefois, je me suis contenté de lui faire un avertissement : « Tu sais quoi, mec ? La prochaine fois que tu me sors de tels propos, je n'hésiterai pas à te casser la gueule. » Il me répondit : « Ce sont des menaces ? » Je lui ai répondu gracieusement : « Essaye la prochaine fois. »

Depuis ce jour, on a plus échangé un seul mot.

Dans ma vie, j'ai toujours respecté l'autre et fait en sorte de ne pas être un obstacle au bien être d'autrui quelques soient les considérations en cause. Quelques jours plus tard, après un report de la sélection, elle s'est finalement tenue dans une ambiance de vive tension. Je n'ai pas été retenu par le jury qui me reprochait le fait de n'avoir pas participé à la première sélection à laquelle je m'étais désisté. Ainsi, les membres du jury ont mis en cause ma motivation bien que je leur aie expliqué le jour de ma plaidoirie, les raisons qui m'avaient conduit à y renoncer dans un premier temps. Malgré tout, j'étais content d'avoir participé et surtout ne pas renoncer bien que certains avaient tenté de m'en dissuader.

Toute ma vie, j'ai essayé de tracer mon chemin en me détournant des gens qui essayaient contre vents et marées de me mettre des bâtons dans les roues. Les jours suivants, j'ai tissé des liens avec d'autres étudiants qui sont devenus des amis. Le premier semestre s'est achevé sur une note un peu décevante.

Le train de vie à Paris était loin d'être à ma portée. Que devrais-je attendre de plus de l'une des villes les plus chères du monde ? À Paris, j'ai vu mes dépenses tripler à une vitesse fulgurante faisant plonger chaque mois mon compte bancaire dans un découvert de plus en plus pesant.

Entre le loyer et les charges qui coûtent une fortune, l'urgence était de trouver un travail au risque de subir la précarité étudiante très répandue en France.

Mon ancien employeur de Toulouse, après un appel de détresse, m'a recommandé aux représentants de son entreprise à Paris qui m'ont aussitôt intégré dans leurs effectifs. Il fallait de nouveau concilier les cours et mes obligations contractuelles.

La nature verdoyante de Cergy offre un réveil au chant d'oiseaux mélodieux. Logé au troisième étage d'un immeuble à la façade reboisée sans ascenseur, je me précipite pour rejoindre la gare de Cergy-

Préfecture. Comme d'habitude, les usagers se bousculent entre les passages étroits pour rejoindre leurs lieux de travail. Les heures de pointe parisiennes ont des allures de poulaillers où nous nous retrouvons entassés dans des rames exiguës et surpeuplées. Au bord de l'asphyxie, se marchant sur les pieds à chaque arrêt, l'étau se desserre permettant de reprendre un brin de souffle avant que les portes se referment plongeant les gens dans une forme d'apnée.

Pour mon premier service, je dois rejoindre le terminus de la station Val d'Europe en traversant tout Paris. Le trafic ferroviaire couvre différentes zones et pour chacune d'elle, il faut payer le ticket correspondant. Tout coûte cher dans cette ville ultra bourgeoise. Au distributeur de billets de Cergy voyant les différents tarifs se présenter à moi, j'ai tout simplement halluciné de constater que mon trajet allait me coûter en aller-retour 30 €. Vivant une période de vache maigre et voulant à tout prix honorer mon premier jour de travail, j'ai payé un ticket me permettant juste de rejoindre Châtelet tout en espérant de ne pas croiser le chemin des contrôleurs.

Après deux heures et demie de trajet, à la sortie de la gare de Val d'Europe, je tombe nez à nez face à un groupe d'hommes arborant le même uniforme. Aucune échappatoire possible. Je regarde de gauche à droit aucun moyen d'échapper à leur contrôle. Avec un ton martial, l'un d'eux s'adresse à moi : « Bonjour monsieur, s'il vous plaît présentez-nous votre titre de transport. » Une sueur froide me parcourut tous les membres. Je lui tends mon ticket tout en sachant que j'allais recevoir en retour une amende. J'essaye de me justifier en affirmant que je suis nouveau à Paris et que j'ignorais que mon ticket se limitait à Châtelet. Cette tentative désespérée me sauva pas ma peau. Ne pouvant pas régler l'amende sur place, ils récupérèrent mes coordonnées en me demandant de m'acquitter à la réception prochaine par courrier d'une amende de 80 €.

Dégouté, j'arrive au centre commercial où je devais passer toute la journée debout au milieu de rayons de parfums aux arômes venant des quatre coins du monde. Au bord de l'enivrement, je me posais la question de savoir comment j'allais rejoindre mon chez-moi. Tout portait à croire vu le coût du trajet que j'allais encore frauder au risque de se prendre à nouveau une amende. Bis repetita à la fin de ma mission, j'arrive à la gare, je paye encore le même ticket qui me permettait juste de faire le trajet Val d'Europe-Châtelet, quitte à se voir coller une nouvelle amende. À la tombée de la nuit, les contrôleurs se font rares, une voie royale permettant à certains fraudeurs comme moi de rejoindre tranquillement la destination souhaitée.

Ne pouvant pas enchaîner des missions à ce rythme, j'ai ainsi proposé à mon employeur de revoir mon planning et me proposer des lieux à proximité de mon domicile. C'est ainsi que je fus placé au magasin Sephora de Châtelet-les-Halles. Cet endroit très prisé des Parisiens où se croisent voyageurs franciliens, touristes et squatters de tout genre ne désemplit pas. Au Sephora se trouvant en dessous de la gare, je vois défiler de milliers de personnes.

Lieu de toutes les rencontres, un inconnu m'a fait le plaisir de me raconter sa vie insolite parisienne. Élégant dans sa tenue, physiquement bien taillé, en parfait playboy parisien, il me rassura de ne pas trop m'inquiéter de sa présence dans le magasin. Il m'a fait comprendre qu'il était à la recherche d'une nouvelle proie. Un peu curieux, je lui demande de m'en dire plus. Il me dit que ça fait plusieurs années qu'il vit à Paris et jamais il n'a payé de loyer. Je lui dis, mais comment ça se fait ? Il répondit tout simplement qu'il se fait héberger par des femmes qu'il croise dans les magasins. Très vite, j'ai compris que j'avais en face de moi un gourou gentleman qui vit sur le dos des femmes désespérées en amour qu'il utilisait juste pour assouvir ses besoins et profiter de leur toit avant de disparaître à tout jamais. Cela ne m'étonne guère, des villes comme Paris abritent toute la panoplie du genre humain.

Notre conversation fut interrompue quand j'aperçus deux jeunes d'origine africaine qui n'arrêtaient pas de jouer avec un coffret de parfum dans l'espoir de le dérober. M'approchant d'eux, je fais semblant de faire une ronde dans le magasin. Remarquant ma présence, ils se tournèrent vers leur mère qui était à l'autre bout du magasin en l'expliquant que je n'arrêtais pas de les suivre partout. C'est ainsi qu'elle s'avance vers moi en commençant à dégainer d'insultes très virulentes. Gardant mon sang froid, j'ai essayé de la raisonner tout en lui expliquant que je faisais simplement mon travail en surveillant le magasin. Elle explosa de colère et en sortant du magasin avec beaucoup de mépris, elle me dit : « Continuez à faire le chien de garde devant votre magasin, moi, mes enfants vont à l'école et un jour, ils deviendront avocats. »

Elle n'y est pas allée de main morte et ses propos résonnèrent dans tout le magasin. Je fus plongé pendant un moment par un sentiment d'inexistence avant qu'une voix me souffle à l'oreille : « Mais Ibrahima, tu ne serais pas un étudiant en droit en fin d'études ? » Réveillé par ce rappel, je dévisage la dame et ses enfants en ayant envers eux de la compassion. Si seulement elle savait que ça fait cinq ans que je me sacrifie afin d'atteindre cet objectif qu'elle rêve tant pour ses enfants. S'éloignant de moi à petits pas avec le même ton d'hostilité, je lui ai souhaité de tout cœur qu'un jour ses progénitures atteignent ce noble objectif en espérant que la conseillère d'orientation ne les détourne pas de leur rêve.

Chapitre V
L'arrivée de la COVID-19, quel avenir pour le monde ?

À l'approche de la fin des cours, l'apparition du coronavirus vient donner un coup d'arrêt au quotidien d'un monde déjà tourmenté par le changement climatique et d'autres préoccupations majeures liées à son existence. Sur le parvis de l'Université, surmontant le petit pont qui relie le centre commercial les trois fontaines, Mursal et moi assistons à travers nos smartphones à l'allocution télévisée du président Emmanuel Macron. Au début de cette pandémie, tout le monde s'accordait à dire qu'il s'agissait juste d'une petite grippe qui disparaîtrait très vite des radars. Cependant, l'intervention du président qui pose le diagnostic illustre la gravité de la situation sanitaire. Tous les voyants sont au rouge !

De Wuhan en Chine où le virus a été détecté, aux quatre coins du monde, règne désormais une psychose digne d'un film de science-fiction. Le nombre de contaminés et de morts ne cesse de grimper à une vitesse vertigineuse. Du jamais vu dans l'histoire de l'humanité, tous les pans de la vie sociale y compris de l'économie se trouvent sensiblement affectés par cet agent pathogène invisible. Les yeux rivés sur nos téléphones, nous avons été surpris d'apprendre par le président que « nous sommes en guerre sanitaire ». Est-ce la formule appropriée pour nous alerter de l'urgence de la situation ? En tout cas, la solennité et la fermeté du ton employé qui annoncent la fermeture de tous les lieux publics y compris les universités démontrent le caractère exceptionnel des dispositions prises pour freiner la propagation du virus. Qu'allons-nous devenir ? Mursal et moi, nous nous quittons en nous interrogeant sur l'avenir du monde.

Le tableau dressé par les médias de tous horizons fait état d'une situation sanitaire très alarmante. Toutes les couches de la société, modestes comme aisées n'échapperons pas à cette tragédie. Le traumatisme est tel qu'émergent partout des théories complotistes mettant en doute la véracité du virus. Pour beaucoup, il s'agit d'un fait volontaire pour réguler la démographie. D'autres soutiennent mordicus son inexistence en évoquant une de manipulation de masse. Les rumeurs vont de bon train et les incertitudes plongent de plus en plus le monde dans un obscur destin.

Devant le centre commercial les trois fontaines, je découvre une marée humaine désespérée à la quête de produits de première nécessité. Le tohu-bohu qui règne autour de longue file d'attente ne laisse rien présager de bon. Je m'inquiète quant à un éventuel débordement. Après de longues heures d'attente où chacun guette le moindre signe de toux qui constitue l'un des symptômes du coronavirus, j'accède enfin aux rayons. Je constate avec la plus grande stupéfaction une rupture de stocks de produits essentiels comme des pâtes, du papier toilette, des packs d'eau minérale.

La journée fut longue et éprouvante, je rentre chez moi avec la satisfaction d'avoir réussi à rafler au moins du pain de mie, une brique de lait et une boîte d'œufs. Logé au troisième étage, j'arpente difficilement les escaliers avec mes courses. Épuisé par tout ce brouhaha, c'est à peine si j'arrive à insérer la clé dans la serrure. La porte s'ouvre sur une mélodie au rythme pénitentiaire. Mes colocataires vivants reclus dans leurs chambres individuelles broient du noir dans un silence assourdissant. Il n'existe aucune vie sociale dans cet appartement comme d'ailleurs dans l'ensemble du pays où le gouvernement conseille de limiter tout contact humain.

À présent, nous avons le sentiment de vivre dans un centre de rétention à domicile où la liberté d'aller et venir est sensiblement restreinte. Seule la justification de motif impérieux peut désormais permettre de mettre les pieds dehors. Au cas contraire, nous sommes exposés à une amende de 135 euros qui peut être graduellement majorée en cas de récidive. Le confinement va s'avérer lourd de conséquences sur la santé psychique de tout un chacun. La vie n'a de sens que dans le contact humain !

En me réveillant le matin, je découvre le mail de l'Université qui nous informe que dorénavant tous les cours seront assurés à distance. Le malaise est grand, car au fil du temps, il s'est noué au sein de la promotion une fraternité qui avait pris le dessus sur certains rabat-joie. Le confinement est venu briser un certain vivre-ensemble qui allait conduire notre fin de cursus dans un élan plus solidaire.

Dans ma chambre, cambré aux parois de ma fenêtre, j'assiste chaque soir à partir de 20 h au tonnerre d'applaudissements à l'endroit du personnel soignant qui se bat corps et âme pour sauver des personnes contaminées par le coronavirus. Malgré leur dévouement à sauver des vies, certains sont victimes d'agressions à leurs domiciles par des voisins apeurés qui les accusent de propager la maladie. La méfiance de tous envers tous en ce temps de crise sanitaire est d'autant plus exacerbée par l'absence de tout traitement. Le seul salut de l'humanité est pour l'heure placé dans le respect des mesures de distanciation sociale, le port de masque et l'utilisation de gel hydroalcoolique pour se désinfecter les mains.

Entre les quatre murs de ma chambre qui me servent de forteresse contre toute invasion du virus, j'ai soudainement eu une pensée envers les membres de ma famille se trouvant en Guinée. Le système de santé occidental est réputé pour son efficacité à contrer toute crise sanitaire. Toutefois, on apprend à travers le fil d'actualité, qu'il est au bord de l'asphyxie. Les nouvelles admissions en réanimation et les personnes décédées ne cessent de croître.

Toute mon inquiétude était tournée vers mon continent qui après soixante années d'indépendance est toujours dépourvu d'un système de santé digne de ce nom. J'ai été stupéfait d'apprendre qu'un pays comme la République centrafricaine ne dispose que d'un seul respirateur dans ses hôpitaux. Compte tenu de l'allure de la propagation du virus, tout portait à croire qu'en Afrique, on allait assister à une hécatombe. Cependant, même si certains pays enregistrent des cas de contaminations et de morts, la situation s'avère moins critique comparativement à la détresse quotidienne des populations sur d'autres continents. Selon des scientifiques, les conditions climatiques sous l'équateur expliqueraient à bien des égards le faible taux de présence du virus dans les pays du Sud. À longueur de journée, le téléphone ne cesse de vibrer à cause de l'appel de mes parents, amis et proches s'inquiétant quant à mon état de santé.

Ermite par nature, le confinement auquel je fais face depuis quelques mois, coupé du monde, plonge mon quotidien dans un air de déjà-vu. Les jours passent et se ressemblent ! La routine des cours par vidéoconférence peu motivants a permis l'achèvement des derniers séminaires du cursus universitaire. Le moral étant plombé par le silence de cimetière régnant dans l'appartement.

De temps en temps, j'allais trouver refuge dans les bois de Cergy. Juché sur une colline à quelques encablures de ma résidence, je contemplais à perte de vue la plaine maraîchère du Val-d'Oise. Cet espace de détente au paysage garni par des chênes permet le temps d'une sortie de prendre un peu d'altitude face à la situation morose se trouvant à basse terre. À la fin de l'heure correspondant à l'autorisation exceptionnelle de sortie en plein air, la descente d'une escouade de policiers vint interrompre ma petite escapade dans la nature verdoyante si apaisante.

Marchant au rythme des chants d'oiseaux, je regagne mon 19 mètres carré pleinement ressourcé en air frais.

Sur un coup de tête, je décide d'appeler une copine que je n'ai pas vue depuis belle lurette et avec qui je suis toujours resté en contact. Je lui ai proposé de m'accueillir chez elle à Lyon, histoire de se retrouver et relancer en même temps notre relation qui s'était brusquement arrêtée à cause d'embrouilles. Elle m'a gracieusement fait comprendre qu'elle ne pouvait me recevoir chez elle. Néanmoins, selon ses propos, je pouvais aller chez l'un de mes amis qui habite aussi la ville tout en me soufflant au bout du fil, l'espoir de se voir épisodiquement. Un peu déçu de sa réponse, je lui ai fait savoir mon désistement de vouloir la rejoindre. Cette tentative désespérée d'échapper à mon isolement dans la banlieue parisienne de Cergy sonna comme un son de cloche me rappelant que j'étais seul face à mon destin.

Avec la fin des cours, l'obtention de mon diplôme de master 2 est conditionnée par la rédaction d'un mémoire de fin d'études et la réalisation d'un stage conventionné d'au moins deux mois. La situation sanitaire au centre de toutes les attentions me rendait la tâche encore plus difficile dans la mesure où toutes les bibliothèques universitaires sont interdites d'accès et l'obtention d'un stage au vu du contexte est plutôt sans espoir. Face à toutes ces contraintes, l'administration de l'Université a jugé nécessaire de nous accorder un délai supplémentaire nous permettant d'atteindre ces objectifs indispensables à l'obtention de nos diplômes.

Avec l'arrivée de la saison estivale qui rime avec soleil et beau temps, les rayons lumineux avec la quantité d'énergie qu'ils dégagent apportent une lueur d'espoir aux âmes confinées dans des appartements exigus. Des boulevards et les transports en commun désertés depuis quelques mois sont à nouveau pris d'assaut.

Le gouvernement longtemps désarmé face à cet ennemi invisible, fatigué d'improviser sa lutte à tout bout de champ voyait à travers la diminution des cas un soulagement. Graduellement, l'étau se desserre autour des mesures exceptionnelles prises pour ralentir la propagation du virus. Le retour à une vie normale était quasiment acté. Toutefois, le conseil scientifique a vite remis les pendules à l'heure en imposant l'application rigoureuse des mesures de distanciation sociale.

Après deux mois passés en chômage partiel, mon employeur a cette fois-ci décidé de m'affecter à la FNAC située dans la zone commerciale d'Herblay. Dès l'ouverture de l'enseigne, la clientèle était à l'affût !

Mon collègue, un homme d'origine afghane avec beaucoup d'humour m'expliqua les recommandations du directeur du magasin. Il faut respecter la jauge de personnes autorisées à y pénétrer en filtrant à l'entrée et n'autoriser l'accès aux rayons qu'aux clients portant un masque de protection en les incitant à utiliser le gel hydroalcoolique posé devant la porte. Très vite, nous avons été confrontés à l'hostilité de gens délétères qui refusaient parfois avec des arguments frôlant le ridicule de se soumettre aux recommandations sanitaires.

Pris à partie par deux individus qui refusèrent d'appliquer les consignes et qui en contestèrent la légalité, je tentai en vain de leur expliquer que la loi autorise les enseignes à travers leur règlement intérieur à exiger le port obligatoire de masque. En ma qualité de vigile, mes propos n'ont tout simplement pas été pris en considération par les deux protagonistes. Arguant être le cousin d'un avocat, ils m'ont alors tourné en dérision en me signifiant que j'étais un simple agent de sécurité en sous-entendant par là, ne pas être capable de donner un avis juridique.

Cet incident ne m'a guère surpris, car nous vivons dans un monde où les gens se jugent sans se connaître. La catégorisation de personnes est monnaie courante dans ce milieu où la couleur de peau, l'origine poussent certains à créer une image structurée en classant des gens dans des secteurs d'activités jugés en bas de l'échelle sociale. Le plus désolant dans ce genre de situation est le fait que parfois, l'employé jugé subalterne est généralement plus diplômé que le directeur du magasin ! Malheureusement en France, on voit des personnes possédant de diplômes d'études supérieures faire office de caissières ou caissiers dans des magasins de grande distribution.

De retour à la maison après une journée de dur labeur, je fus plongé dans une bulle tranquille de méditation. Cela m'a permis de faire le bilan de mon parcours et de me projeter dans l'avenir. Ma préoccupation première était d'entamer au plus vite la rédaction de mon mémoire. J'ai choisi de parachever cette aventure universitaire en me penchant sur la maîtrise du risque politique en droit international des investissements. Après soixante ans d'indépendance, l'instabilité politique qui règne en Afrique explique qu'elle soit moins courtisée par les investisseurs étrangers. L'argent n'aime pas le bruit !

Le processus de mondialisation enclenché depuis les années 1980 a laissé l'Afrique en marge du développement économique. Il est temps qu'elle se mette sur le même pas de danse que les autres continents au risque de s'abîmer à tout jamais dans la paupérisation. L'Afrique est comme ce mendiant assis sur une mine d'or et qui continue de tendre la main. Conscient que l'avenir du monde se joue sur ce continent berceau de l'humanité, à travers la rédaction de mon mémoire, je veux dans le futur faire partie de cette génération qui la tire vers le haut.

Pour être efficace dans mes recherches, il fallait sortir de ce guêpier parisien. J'ai sollicité auprès de mon employeur deux mois de vacances qui m'ont permis de poser mes valises à Toulouse et de retrouver les miens.

Chapitre VI
Mon retour dans la ville rose

Pourquoi autant d'attachement à la ville aux briques roses ? Tout d'abord, Toulouse m'a permis de rebondir. Y revenir après quelques mois de tribulations à Paris était pour moi une manière de lui réaffirmer mon amour ainsi que de lui réitérer mon serment de fidélité. Rien d'étonnant, car cette ville dégage par son histoire, sa culture, de son ouverture au monde, un cadre de vie qui m'émerveille. La ville rose a plus d'un tour dans son sac pour charmer ses visiteurs. Cela fait d'elle l'une des destinations préférées des touristes. L'architecture toulousaine unique en son genre, fait rejaillir à chaque recoin, les souvenirs d'un passé riche et glorieux. La place du capitole d'où l'on voit ériger le capitolium, maison commune des Toulousains faisant aujourd'hui office d'Hôtel de Ville, regorge une histoire vielle de plus trois siècles. De la basilique Saint-Sernin en passant par l'église des Jacobins ou encore de la Cathédrale Saint-Etienne, cette ville dispose un patrimoine hors du commun. Claude Nougaro n'a pas eu tort de chanter « Ô Toulouse ! ».

Je me rappelle encore l'été 2018 quand la France a réussi à décrocher sa deuxième étoile en battant la Croatie en finale de coupe du monde. Au coup de sifflet final, toute la ville était en synergie. De la Prairie des filtres où de grands écrans permirent la retransmission en direct de la finale, en passant par les allées Jean Jaurès, nous entendions partout retentir des coups de klaxon et de Viva en l'honneur de l'équipe de France.

Retrouver tous ces beaux souvenirs et surtout sillonner les bords de la Garonne pour profiter de la douceur de son air frais me comblaient d'énergie. Loin du rififi parisien et un peu détaché des médias qui distillent en longueur de journée des informations à couper le souffle, mon cerveau était enfin stimulé. Il fallait enfin que je me motive pour me débarrasser de ce mémoire dont la rédaction avait pris un peu plus de temps que prévu. Après quelques semaines d'hésitation, totalement coupé du monde, je vois enfin la lumière au bout du tunnel.

Le chemin a été long et semé d'embûches certes, mais la date du 13 octobre 2020 restera à jamais gravée dans ma mémoire. Ma soutenance de mémoire venait couronner cinq années d'études et de sacrifices. J'arrivais à peine à le croire, mais à force de volonté et de courage, j'étais à mi-chemin d'obtenir un bac + 5 en droit. À présent, la seule pièce qui manquait au puzzle pour avoir le fameux sésame était la réalisation d'un stage.

Après quelques jours de recherche intensive, un cabinet d'avocats a bien voulu m'accueillir en m'offrant l'opportunité de découvrir ce nouveau monde professionnel loin des bancs de l'université. Mes premiers jours de stage m'ont permis d'être en pleine immersion dans les arcanes de la justice. Enfant, j'ai toujours rêvé d'être dans la peau d'un avocat pour défendre comme on le dit souvent « la veuve et l'orphelin ». Rien ne me prédestinait à être un jour au service des justiciables. J'ai toujours été ébloui par cette robe noire, garnie d'un col blanc. Accompagner mon maître de stage dans ses tâches quotidiennes m'a permis de démystifier ce métier qui tend à perdre ses lettres de noblesse. Nous sommes aujourd'hui plongés dans une société ultra libérale !

Le statut de profession libérale auquel appartient l'avocat tend à faire de sa préoccupation première l'appât du gain au détriment du justiciable. Le plus beau métier du monde est devenu un business très lucratif bien que le seul barreau toulousain compte à peu près 7 500 avocats. Les avocats courent derrière des clients comme le marchand ambulant le fait dans les petits marchés de fortune. Spéculer sur le désespoir des justiciables ôte aujourd'hui toute forme d'humanité à ceux qui sont censés être la voix des sans voix.

Depuis La Haye où elle effectue son stage de fin d'études à la Cour pénale internationale, mon amie a profité l'instant d'un séjour touristique à Rotterdam pour m'adresser une carte postale pleine d'amitié :

« Cher Ibro, Depuis quelques mois, ma vie s'illumine aux Pays-Bas. Il faut sortir de sa zone de confort pour accomplir de merveilleuses choses. Avec le recul, je réalise tout le chemin que tu as parcouru et j'en suis admirative. Une petite pensée de Rotterdam où je me suis accordé quelques instants de légèreté.

Avec toute mon affection ! »

Loin des yeux, près du cœur, ces mots illustraient une fois de plus l'affection qu'on se porte l'un pour l'autre. Depuis qu'on s'est connus, on s'est toujours soutenus dans nos différentes aventures. Grâce au rapprochement virtuel des réseaux sociaux, chaque soir nous avions coutume de nous appeler pour échanger sur nos petites vies routinières. De coq à l'âne, nos conversations débouchaient le plus souvent sur des sujets d'actualité brûlants. Son stage au sein de la Cour Pénale Internationale lui a permis de découvrir une autre facette du monde et de la justice à une échelle plus large. Débattant sur le statut de la Cour, en passant en revue toutes les polémiques dues à son fonctionnement, nous en sommes parvenus au constat qu'elle a toujours eu dans son collimateur des personnalités provenant d'États africains, bourreaux de leurs propres citoyens. La Cour dans son fonctionnement a toujours fermé les yeux par ce qui se passe ailleurs. J'ai toujours affirmé que dans ce monde, « il n'y a pas de justice, il n'y a que des intérêts ». Cela ne m'étonne guère qu'elle éprouve le même sentiment, car, depuis un moment, j'ai vraiment ouvert les yeux sur certaines réalités. Notre idéal certes, est de faire en sorte que notre humanité triomphe sur toutes autres considérations.

La justice est l'outil régulateur de nos différents rapports. Pour préserver la paix sociale, peu importe l'échelle, nationale ou internationale, elle doit être déniée d'injustice et de parti pris. Malheureusement au XXIe siècle, notre société est minée dans toutes ses structures par des hommes et femmes véreux dont le seul but est de s'offrir une carrière quitte à surfer sur le désespoir humain. En outre, le point qui concentrait le plus notre attention, c'est la situation sociopolitique en France.

Je serai toujours reconnaissant envers la France de m'avoir donné l'opportunité de poursuivre mes études dans ses établissements supérieurs. Mon séjour au pays de Louis XIV et du général de Gaulle, grand artisan de la France libre m'a permis de m'imprégner de sa culture et de son histoire. Pays des droits de l'Homme, fervent défenseur de la liberté et du principe fondamental de la laïcité, la France a toujours été confrontée à un problème d'intégration. La vague d'immigration dont l'Europe et en particulier la France font face, cristallise le débat autour de l'insertion des venus d'ailleurs. Des guerres, la famine, les catastrophes naturelles ont poussé ces dernières années des millions de personnes à quitter leur pays d'origine pour trouver refuge des pays comme la France réputée être un havre de paix.

Depuis quelques années, on constate une hostilité farouche de nationalistes au phénomène d'immigration. D'une part, fonds de commerce de certains partis politiques et de l'autre, faisant les choux gras des médias, l'immigration est au centre de tous les débats. Ils ont réussi à installer dans la société occidentale, un climat de méfiance vis-à-vis de l'étranger. Persona non grata, les étrangers arrivent généralement dans leurs pays d'accueil avec leurs systèmes de croyances qui entrent souvent en conflit avec le mode de vie occidental. À mon avis, quand on quitte le chez-soi pour aller chez l'autre, le mieux c'est de s'intégrer à son mode de vie. « On ne peut quitter sa maison et aller faire la loi dans celles des autres. » D'ailleurs, un peuple trouve souvent très séduisant de voir un étranger adopter ses mœurs. S'intégrer ne veut pas dire perdre son identité, c'est plutôt une forme d'ouverture et de tolérance. Le monde est fait de multiples civilisations, chaque continent, chaque pays a développé au cours du temps un système de croyances religieuses, politiques et économiques propres à son environnement. Chaque être humain sur terre possède une identité !

Hélas, être différent dans n'importe quel coin du globe a tendance à devenir un crime. On peut s'accepter dans nos différences et pour cela, le contrat social de Jean Jacques Rousseau est une belle illustration. Stigmatiser par la couleur de peau, l'origine, par la croyance religieuse, est une forme d'exclusion absurde qui maintiendra toujours le monde dans un cercle vicieux de haine. La mondialisation a favorisé la rencontre des peuples afin de créer un village planétaire. Chaque ingrédient de nos différences doit servir à construire une vision commune d'un monde où l'humain transcende toute autre aspiration.

En France, la loi sur le séparatisme vient compartimenter une société déjà en proie à un communautarisme fruit de l'échec des différentes politiques d'immigration. Des factions de tout genre foisonnent, souvent porteuses d'un projet politique qui vise à soumettre l'autre à sa vision du monde. La crispation ne cesse de grandir depuis quelques années. Sans vouloir céder au pessimisme, cette vague déferlante de haine de l'autre constitue une bombe à retardement qui risque de plonger certains pays dans une guerre civile sans précédente. Nul doute, comme cela avait été annoncé, la troisième guerre mondiale est culturelle et tous les indicateurs montrent aujourd'hui qu'elle se déroule à bâton rompu.

L'apparition du Coronavirus qui continue à faire des victimes montre ô combien le monde ne tient qu'à un fil. L'ennemi n'est pas l'autre, l'ennemi ce sont les grandes pandémies, le dérèglement climatique qui menacent notre existence.

Officiellement diplômé sans avoir encore reçu en main propre le fameux sésame qui vient clore cinq années de travail acharné, j'ai voulu en cette fin d'année véhiculer un message d'espoir à travers les réseaux sociaux en ces termes :

« Ce qui ne nous tue pas nous rend plus forts ! 2020 n'a pas été une année facile pour nous. Beaucoup ont perdu la vie : que leurs âmes reposent en paix ! Aussi, nombreux ont raté des opportunités compte tenu de la situation sanitaire qui nous a frappés de plein fouet. On continue à y faire face avec résilience, courage, abnégation, et espoir. Tirer des leçons et avancer ! Voilà comment on aborde cette nouvelle année. Vous savez, la vie nous impose une ribambelle d'épreuves. Chaque épreuve nous confronte à notre condition humaine. Nous sommes avant tout des êtres humains, avec un passage éphémère sur terre. Notre souci constant, c'est de rendre notre vie paisible dans la coexistence, la fraternité, la cohésion, bref le vivre-ensemble pour faire face aux innombrables défis d'aujourd'hui et de demain. 2021, une année d'espoir pour vous, pour votre famille, pour le monde entier ! Très bonne année à vous ! »

Remerciements

À travers cette merveilleuse passion qu'est l'écriture, je souhaite à travers ce témoignage, donner de l'espoir aux jeunes comme moi qui se sacrifient chaque jour pour un lendemain meilleur. N'abandonnez jamais !

J'ai écrit ces lignes avec le cœur plein d'amertume et d'espoir. Ce voyage initiatique m'a confronté à toutes les épreuves de la vie en traversant un continent vers un autre.

Des épreuves, des rencontres, des souvenirs qui resteront à jamais gravés dans ma mémoire.

Aujourd'hui, je poursuis ma quête du savoir en étant inscrit à un second master II dans la plus prestigieuse des universités françaises, Paris 1 Panthéon-Sorbonne. Certainement, le terminus de mon parcours universitaire.

Au fin fond de ma ville natale quelques années en arrière, je n'aurais jamais imaginé un seul jour atterrir en France à plus forte raison, être lauréat des diplômes de ses plus prestigieuses facultés.

Profondément attaché aux valeurs humaines, je tiens à remercier tous ceux qui m'ont aidé à faire de ce rêve une réalité.

À ma très chère mère à qui je dois tout, merci !

Durant cette aventure, j'ai bénéficié de soutiens inestimables d'oncles et tantes, d'inconnus croisés par le hasard des rencontres qui représentent aujourd'hui pour moi un maillon essentiel de mon existence.

Je serai éternellement reconnaissant à l'endroit de monsieur Traoré Faforé qui m'a accueilli, nourri, financé des formations pour que j'aille au bout de mon projet professionnel.

Du fond du cœur, un grand merci à la famille Lloze et Plesse pour leur soutien inconditionnel.

Enfin, à mes amis de la Guinée (Hamidou Bodie Bah, Mohamed Kaba, Alpha Marouane Diallo, Oumar Kaba, Elhadj Billo Condé), de Reims (Aboubacar Dramé, Souareba Diakhaby, Joseph Pélicot Camara, Amadou Tidiane Diallo etc.) ainsi que ceux de Toulouse (Abakar Allahou Taher, Manon Plesse etc.) Merci pour tous ces moments passés ensemble !

Que serais-je devenu sans vous ?

Imprimé en Allemagne
Achevé d'imprimer en décembre 2021
Dépôt légal : décembre 2021

Pour

Le Lys Bleu Éditions
40, rue du Louvre
75001 Paris